STEVE JENKINS

PERROS

Y GATOS

Editorial Juventud

Para Jamie, Jeff y Theo

Para realizar las ilustraciones de este libro
se ha utilizado la técnica del collage de papel
recortado y rasgado. Muchos de los papeles
están hechos a mano y provienen de Egipto,
Francia, la India, Italia, Japón, México, Nepal,
Tailandia, Filipinas y Estados Unidos.

¿El mejor amigo del hombre?

¿Por qué los perros y los humanos se llevan tan bien? ¿Realmente los perros son nuestros amigos leales y comprensivos? Los perros han vivido con los humanos durante miles de años y fueron los primeros animales que fueron domesticados, pero también son depredadores naturales. Los perros tienen el cuerpo fuerte, los dientes afilados y los sentidos muy desarrollados. ¿Por qué razón hemos terminado compartiendo nuestros hogares con animales que antaño eran feroces cazadores salvajes?

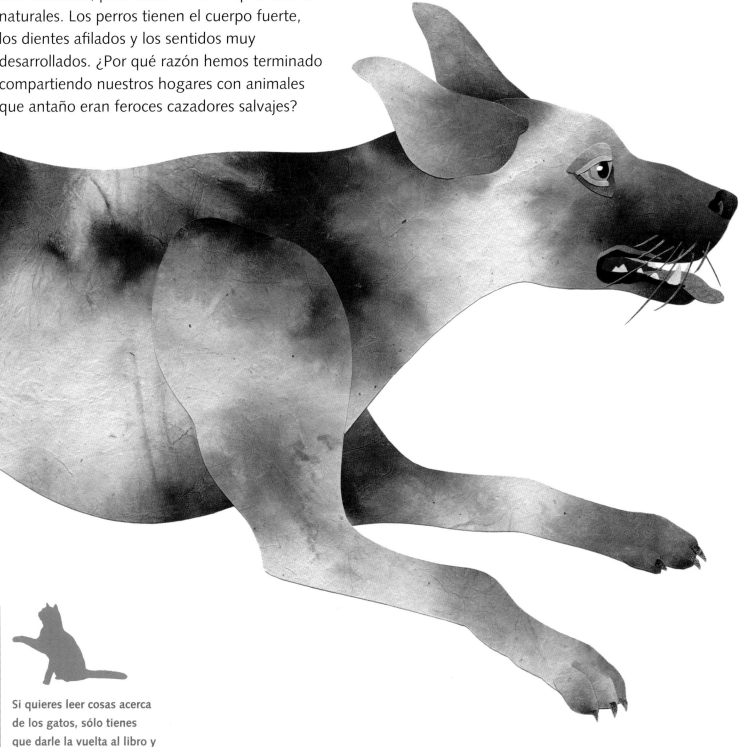

Si quieres leer cosas acerca de los gatos, sólo tienes que darle la vuelta al libro y empezar por el otro lado.

Todos los gatos domésticos son más o menos del mismo tamaño.

Pug

Gran danés

Border Collie

Perros grandes, perros pequeños...

Los perros presentan muchas más variedades que cualquier otro mamífero. La primera raza de perro se parecía mucho al lobo, su pariente más cercano. Esos primeros perros ayudaban a guardar las casas y los poblados de los humanos. A medida que pasó el tiempo y la gente fue utilizando los perros para cuidar de los rebaños, cazar y tirar de los trineos, se desarrollaron varias razas de perros. No todos los perros tenían que trabajar; algunos los criaron para hacer compañía a las personas.

Hoy día, algunos perros se crían por su aspecto. Pueden ser muy grandes o muy pequeños o tener el pelo de una longitud, un color o una figura poco común. Algunos tienen unos rasgos muy exagerados, como la cara plana del pug o el cuerpo largo y bajo del dachshund.

En conjunto, hay más de 400 razas de perros. Algunas todavía son de perros trabajadores: guían a las personas invidentes, rescatan víctimas de terremotos y aludes, ayudan a la policía, encuentran rastros para los cazadores, cuidan de los rebaños de ovejas y ganado... Pero, hoy día, la mayoría de perros son animales de compañía.

Perro sin pelo mexicano (Xolo)   Briard   Shar-pei   Pinscher miniatura   Dachshund

¿Cómo se crea una raza de perro?

El saluki o lebrel persa es una de las razas de perros más antiguas. Es un perro cazador de patas largas que principalmente utiliza la vista y la velocidad en lugar del olfato. Hace seis mil años, la gente salía de caza con estos perros cazadores por las grandes llanuras de Oriente Medio.

¿Cómo crearon un saluki estos primeros cazadores? Pues no empezaron con ninguna raza de perro en concreto. Los cazadores se llevaban los perros cuando salían a cazar y observaban cuáles eran los mejores avistando y atrapando una presa. Los perros con las patas largas y buena vista eran los mejores cazadores y por tanto los más valiosos. Las personas cuidaron especialmente a esos perros, por lo que tuvieron más probabilidades de sobrevivir y tener cachorros. En cada nueva generación, los perros más

En una carrera de cinco mil metros, el saluki es el mamífero más rápido de la Tierra.

rápidos y con la visión más desarrollada eran los más favorecidos. Al cabo de algunos años había sido creada una nueva raza de perro, el saluki.

De la misma manera, al cabo de muchas generaciones, los perros que se utilizaban para guardar los rebaños, las casas, matar roedores o hacer otras tareas fueron adoptando gradualmente la forma y el tamaño que mejor convenía a sus trabajos.

Al margen de la raza, todos los perros son miembros de la misma especie. Esto significa que los perros y las perras de cualquier raza se pueden aparear y tener cachorros, independientemente de su aspecto. Si se selecciona al padre y a la madre, los criadores de perros pueden «diseñar» un perro, escogiendo a los padres de un tamaño, color o personalidad en concreto para aparearles y producir cachorros con unas características nuevas.

Los primeros gatos domésticos se criaron para cazar ratas y ratones.

Cuando los criadores de perros intentan crear perros con unos rasgos inusuales o unas características de la raza exageradas, pueden crear perros con problemas serios de salud. Por ejemplo, el bulldog con frecuencia tiene dificultades para respirar y caminar.

La mayoría de perros del mundo no son de pura raza. Son mezclas de diferentes tipos de perro, lo que la gente suele denominar un chucho. Los perros de razas mezcladas, los mestizos, suelen ser inteligentes y tener buena salud y buen carácter, y por ello muchos propietarios de perros los prefieren.

Los lobos, perros, gatos, osos y comadrejas, todos ellos mamíferos carnívoros terrestres, son descendientes de un pequeño mamífero que vivía en los árboles llamado Miacis hace unos 55 millones de años.

Saber convivir con los demás

Los perros son descendientes del lobo gris, un cazador rápido y fuerte. Los lobos tienen el cuerpo fuerte, una visión y un oído excelentes, un sentido del olfato sorprendente y unos dientes fuertes y afilados. Viven juntos en grupos denominados manadas. Un lobo tiene el mismo tamaño que un perro grande, pero los lobos cazan en manada y pueden capturar y matar animales tan grandes como un ante. Los miembros de una manada se tienen que comunicar entre ellos para criar a los cachorros, escoger a las parejas, cazar y evitar las luchas. Cada manada tiene un lobo dominante, un líder, y una serie de reglas que todos los miembros de la manada siguen.

Como muchos animales cazadores, los lobos son territoriales. Cada manada vive y caza en una extensa zona que defiende de otros depredadores, así como de otras manadas de lobos.

¿De dónde provienen los primeros perros?

Los perros viven con los humanos desde hace unos 14.000 años o tal vez más. Los primeros humanos modernos, personas como nosotros, vivían en África hace más de 100.000 años. Seguramente, los lobos se sintieron atraídos por los desechos de los poblados y algunos descubrieron que era más fácil comer restos que cazar y matar a sus presas. Los campamentos humanos se convirtieron en el territorio de los lobos que no temían a los hombres y ayudaban a defenderlo de otros animales salvajes. Los humanos se dieron cuenta de que tener lobos a su alrededor era beneficioso. Durante miles de años, los lobos siguieron siendo animales salvajes, viviendo en las afueras de los asentamientos humanos. Pero, en un momento dado, algunas personas debieron de sacar a los lobeznos de sus guaridas y los adiestraron. Los lobos que eran demasiado agresivos fueron eliminados o ahuyentados, así que los que sobrevivieron y tuvieron cachorros fueron los más mansos. Tras miles de generaciones, estos animales dejaron de ser lobos salvajes y se convirtieron en perros.

Nuestros gatos domésticos están emparentados con el gato salvaje africano.

Coyote

Perro de los matorrales

Fenec o zorro del desierto

Los perros tienen muchos parientes salvajes, incluso el chacal, el coyote, el perro de los matorrales sudamericano, los lobos y veinte tipos de zorros.

¿Quién es el jefe?

Los perros, como los lobos, son animales sociales. Un perro siempre quiere saber cuál es su lugar en la manada. Cuando dos perros se encuentran, intentan saber cuál de los dos es el dominante. No siempre es el más grande o el más fuerte. Un perro grande con frecuencia se someterá a un perro pequeño y agresivo, especialmente si se encuentran en el territorio del perro pequeño.

Una de las razones por las cuales los perros se llevan tan bien con los humanos es porque quieren pertenecer por naturaleza a un grupo. Los perros domésticos piensan que las personas que conviven con ellos forman parte de su manada. Es importante hacer saber a un perro que un humano es el líder de la manada. Un perro que crea que está al mando puede ser problemático e incluso peligroso.

Los perros expresan sus sentimientos de muchas maneras. Se comunican con nosotros –y con los demás perros– utilizando su voz, la expresión del rostro, el lenguaje corporal y su olor. Si nos fijamos en estas cosas entenderemos mejor qué siente un perro.

Un perro contento mueve la cola, alza la cabeza y abre la boca. A veces se levanta sobre las patas traseras.

Cuando un perro se agacha con la parte trasera de su cuerpo hacia arriba y menea la cola está diciendo: «Quiero jugar».

Este perro se mantiene completamente erguido con la cabeza hacia arriba, las orejas tiesas, frunce el hocico y está diciendo: «Aquí mando yo».

Si se agacha con la cola entre las patas, las orejas dobladas hacia atrás y la boca cerrada está diciendo: «Tú eres el jefe, no quiero luchar contigo».

Los perros expresan muchos de sus sentimientos con su voz: aúllan, lloriquean, gruñen, gimen, gritan y ladran. Un ladrido puede ser de entusiasmo, felicidad o enfado.

Muchos de los mensajes de los gatos significan: «Por favor, dejadme en paz».

De cachorro a perro

Un perro empieza su vida siendo un cachorro: una criatura minúscula y peluda, casi indefensa. Tiene los ojos cerrados y las orejas selladas. A pesar de ello, la nariz de un cachorro empieza a trabajar a partir del momento de nacer y se sirve del olfato para encontrar su primer alimento: la leche de su madre.

Una camada –grupo de cachorros nacidos en un mismo parto– suele ser de seis o siete perritos, pero puede ser de uno solo o un máximo de veinte. La mamá perrita cuida de sus cachorros durante los primeros meses de su vida, alimentándolos, protegiéndolos y adiestrándolos. El papá no interviene demasiado en la cría de los cachorros, pero les puede dar alguna lección mordiéndoles un poco o gruñendo si juegan demasiado bruscamente.

Cuando un cachorro tiene una o dos semanas, sus ojos y orejas se abren. Pronto necesita comida sólida, su madre se la proporciona regurgitando un poco de la comida que ella ha comido. Durante las primeras semanas de vida, un cachorro no necesita demasiadas cosas, salvo comer y dormir.

Cuando tiene unas cuatro semanas, un cachorro empieza a interesarse por el mundo que le rodea y a jugar con sus hermanos y hermanas. Jugar es importante porque es la forma que tiene un perro de aprender a cazar y a comportarse con los demás perros y las personas.

Cuando tiene un año, un perro ya ha crecido del todo y ya puede tener cachorros.

Los gatitos, igual que los cachorros de perro, son ciegos y están indefensos cuando nacen.

¿Qué tiene de especial un perro?

A diferencia de los gatos, que usan su sorprendente velocidad y fuerza para cazar a su presa, los perros son cazadores de resistencia. Los perros salvajes pueden correr durante kilómetros persiguiendo a un animal hasta que este se detiene agotado. Su cuerpo y sus sentidos le ayudan a capturar a una presa, a seguir un rastro y a comunicarse con los miembros de su manada.

Los perros no son daltónicos, pero no distinguen los matices ni ven los colores tan bien como nosotros. Pero son mucho mejores detectando el movimiento y tienen una visión nocturna más sensible, unas cualidades importantes para un cazador.

El sentido más importante para un perro es su potente sentido del olfato. Nos cuesta imaginarlo, pero un perro «ve» el mundo a través de su nariz. Los perros pueden detectar olores que son miles o tal vez millones de veces más débiles de lo que nosotros somos capaces de oler. Los perros utilizan su sentido del olfato para cazar, para encontrar su camino e interpretar los mensajes de otros perros.

Los perros tienen los dientes delanteros afilados para atrapar y matar a su presa, así como unos dientes posteriores que cortan como tijeras, para cortar la carne a trozos y roer los huesos. Los perros son animales carnívoros, pero también comen fruta, frutos secos y otras plantas alimenticias.

El sentido del gusto de un perro no es tan bueno como el nuestro, pero el del olfato lo compensa.

Los bigotes de un perro son muy sensibles y le comunican muchas cosas por lo que respecta a su entorno. Al correr entre unos espesos arbustos el perro cerrará los ojos para protegerlos cada vez que sus bigotes toquen algo.

Los perros tienen un oído muy sensible. Pueden escuchar ruidos para nosotros demasiado débiles o demasiado agudos para que los escuchemos.

Un perro utiliza la cola para mantener el equilibrio y expresar sus sentimientos.

Los perros tienen los huesos y la musculatura fuertes, una espesa capa de pelo que protege su piel y le mantiene caliente.

Los perros caminan sobre los dedos y no sobre la planta del pie. Cada pie tiene cuatro almohadillas duras que actúan como amortiguadores de los golpes y ayudan al perro a sujetarse al suelo.

Algunos sentidos de los gatos están incluso más desarrollados que los de los perros.

Me gustaría saber...

A veces, los perros hacen cosas que nos resultan extrañas. Muchos de estos comportamientos son vestigios de aquellos tiempos en que eran lobos. Son instintivos y los perros nacen sabiendo cómo hacer estas cosas, que por extrañas que nos parezcan, tienen sentido si entendemos que ayudaron a sobrevivir a los ancestros salvajes de nuestros perros.

¿Por qué los perros ladran a los desconocidos?

Cuando los perros ladran a la gente o a otros perros que no conocen están protegiendo su territorio. Están diciendo: «Este es mi espacio, fuera de aquí». Este instinto protector es una de las principales razones por las cuales las personas al principio quisieron perros en su entorno.

¿Por qué a los perros les gusta perseguir pelotas?

Pocos perros pueden resistir la tentación de correr tras una pelota que se les lance. Los ojos de los perros son muy sensibles al movimiento. Cuando un perro ve una pelota que se mueve, surge su instinto cazador y corre tras ella del mismo modo que un perro salvaje caza un animal pequeño. Este instinto cazador hace que no resulte buena idea echarse a correr cuando queremos escapar de un perro agresivo.

¿Por qué los perros son fáciles de educar?

Un perro educado es el que sabe que no debe hacer sus necesidades dentro de casa e intentará hacerlo afuera. A los cachorros se les debe enseñar dónde han de ir al baño, pero su instinto ya les dice que no tiene que ensuciar su casa, porque los perros han evolucionado como animales de guarida, viviendo en cuevas o guaridas. Si hiciesen sus necesidades dentro, sus hogares estarían sucios y serían poco saludables.

¿Por qué los perros se revuelcan en el estiércol?

Si tienen la ocasión, muchos perros se revuelcan en el estiércol de caballo o de vaca. Esto es muy desagradable para sus propietarios pero para los perros tiene sentido. Cuando caza, un perro salvaje se revuelca en los excrementos de los animales herbívoros para ocultar su olor y así pasar desapercibido a su presa.

¿Por qué los gatos
duermen tanto?

¿Por qué los perros entierran huesos?

Cuando los perros salvajes matan a un animal grande se comen todo lo que pueden de golpe. Si dejan trozos de su captura sin comer, otros animales terminarían de hacerlo. Por eso los perros entierran trozos de comida para después desenterrarlos y comérselos. Cuando un perro entierra un hueso en el patio está imitando a sus parientes salvajes.

¿Por qué los perros comen hierba?

No se sabe muy bien por qué lo hacen. Puede que les guste el sabor o tal vez sólo quieren algo para roer. Es posible que los perros coman hierba para hacer mejor la digestión o para que les ayude a vomitar la comida que les ha sentado mal. Los perros salvajes suelen comer los estómagos de los animales herbívoros que cazan. Ya que estos animales suelen tener la barriga llena de hierba, las plantas forman parte de la dieta de un perro salvaje.

¿Los perros son más listos que los gatos?

Depende de lo que entendamos por ser «listo». Los perros han evolucionado como animales sociales y son mejores a la hora de comunicarse con las personas; pueden entender más palabras y gestos que los gatos y son rápidos aprendiendo a hacer cosas nuevas. Estas habilidades hacen que muchos propietarios de perros piensen que los perros son más listos que los gatos.

Los perros: unos animales sorprendentes

El San Bernardo es la raza de perro más pesada. Un San Bernardo grande pesa más de 90 kg.

La raza de perro más pequeña es el chihuahua. Tiene una altura de sólo unos 18 cm. Los chihuahuas también viven más que cualquier otra raza: 18 años o más.

Pero el récord de perro más pequeño del mundo lo tiene un terrier de Yorkshire que mide unos 12 cm de alto.

El perro más grande que se ha conocido fue un mastín inglés llamado *Hércules*, que pesaba 128 kg.

Una perrita rusa llamada *Laika* fue el primer ser vivo en ir al espacio. *Laika* fue la tripulante de un satélite lanzado al espacio en 1957. No hubo manera de hacerla regresar a la Tierra y murió en su cápsula espacial.

A diferencia de los humanos, los perros no sudan por la piel. Un perro que tiene calor se refresca jadeando y sudando por las almohadillas de sus pies.

En la antigua China, la gente llevaba perros minúsculos en las mangas de sus vestidos para ayudar a mantener las manos calientes.

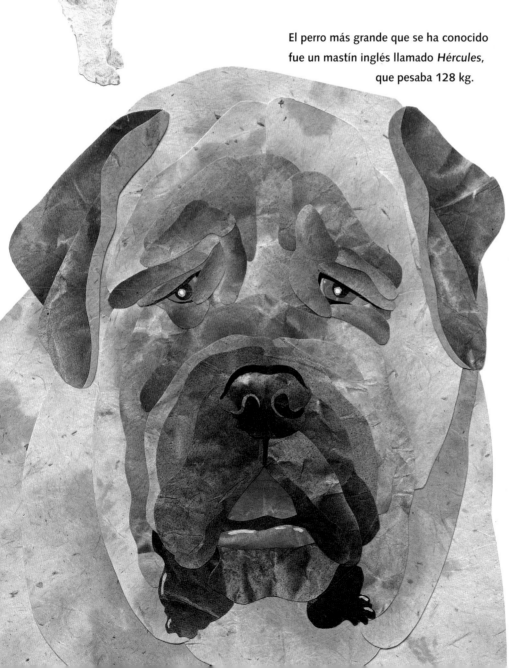

Todos los gatitos nacen con los ojos azules.

La mayoría de perros son amistosos y amables pero algunos de ellos muerden. Cada año, miles de personas resultan gravemente heridas por mordiscos de perro y algunas han llegado a morir. Nadie debe acariciar a un perro que no conoce sin preguntar antes a su amo si es amistoso. Aun así, nos tenemos que acercar al perro despacio, sin hacer movimientos bruscos o ruidos fuertes que puedan asustarlo.

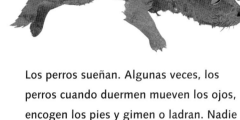

Los perros sueñan. Algunas veces, los perros cuando duermen mueven los ojos, encogen los pies y gimen o ladran. Nadie sabe qué sueñan los perros.

El promedio de vida de un perro es de 14 años y los perros pequeños suelen vivir más que los grandes. Hay muchas formas de calcular la edad de un perro en años humanos. A continuación, encontrarás una sencilla fórmula:

Primer año de un perro: 15 años humanos

Segundo año de un perro: 9 años humanos

Cada año de un perro después de esto: 4 años humanos

Así, un perro de 4 años tendría: (15 + 9 + 4 + 4) o unos 32 años humanos.

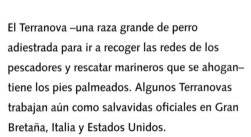

El perro más longevo que se ha conocido es un pastor australiano llamado *Bluey*. Vivió 29 años y 5 meses. Eso sería unos 134 años en años humanos.

El Terranova –una raza grande de perro adiestrada para ir a recoger las redes de los pescadores y rescatar marineros que se ahogan– tiene los pies palmeados. Algunos Terranovas trabajan aún como salvavidas oficiales en Gran Bretaña, Italia y Estados Unidos.

Una forma de medir la inteligencia de un perro es averiguar lo rápido que puede aprender de su experiencia. Por ejemplo, un perro puede conseguir una recompensa yendo a recoger una pelota cada vez que suena un timbre. ¿Cuántas veces se tiene que repetir esta secuencia antes de que el perro entienda qué se debe hacer? Basados en pruebas como esta, algunos de los perros más inteligentes son el border collie, el caniche, el pastor alemán y el golden retriever. La mayoría de expertos coinciden en que el más duro de mollera es el galgo afgano.

El chocolate es venenoso para los perros. Una sola barra de chocolate puede acabar con un perro pequeño.

Hay unos 400 millones de perros en el mundo y alrededor de unos 500 millones de gatos domésticos.

Border Collie

Galgo afgano

¿Amigos o enemigos?

Los gatos y perros en libertad no se llevan demasiado bien, puesto que son enemigos naturales que compiten por una provisión de comida limitada. Pero como animales domésticos con frecuencia conviven en la misma casa. Puede suceder que simplemente se ignoren o que jueguen como si fuesen los mejores amigos.

Si quieres leer cosas acerca de gatos, sólo tienes que darle la vuelta al libro y empezar por el otro lado.

¿Amigos o enemigos?

Los gatos y perros en libertad no se llevan demasiado bien, puesto que son enemigos naturales que compiten por una provisión de comida limitada. Pero como animales domésticos con frecuencia conviven en la misma casa. Puede suceder que simplemente se ignoren o que jueguen como si fuesen los mejores amigos.

Si quieres leer cosas acerca de perros, sólo tienes que darle la vuelta al libro y empezar por el otro lado.

Los gatos a menudo llevan regalos a sus propietarios: ratones y pájaros muertos que dejan con cuidado encima de un almohadón o de una mesa.

Hay varias fórmulas para calcular la edad de un gato en años humanos. Aquí se explica una:

Primer año de un gato: 16 años humanos

Segundo año de un gato: 7 años humanos

Cada año después de estos: 4 años humanos

Así un gato de 4 años tendría:

(16 + 7 + 4 + 4) o 31 años humanos.

Los gatos viven un promedio de 16 años o 79 en años humanos.

El gato más viejo del mundo, *Granpa*, que significa «abuelo» en inglés, vivió 34 años y 2 meses. Utilizando nuestra fórmula, equivaldría a 151 años. ¿Crees que cuando era un gatito también lo llamaban así?

Un gato mediano come el equivalente a 5 ratones al día.

Los gatos no saborean los dulces y no les gusta comerlos.

En la Edad Media, la gente supersticiosa pensaba que los gatos estaban relacionados con las brujas y el demonio y por ello mataron a muchos animales. Los gatos volvieron a ser populares cuando la Peste Negra asoló Europa hacia el 1500 matando a millones de personas. La enfermedad se propagó por las ratas que llevaban pulgas, y la gente se dio cuenta de que los gatos podían ayudar a reducir el número de ratas.

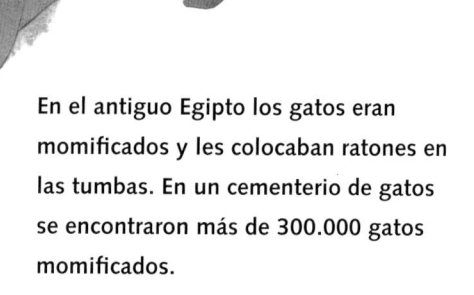

En el antiguo Egipto los gatos eran momificados y les colocaban ratones en las tumbas. En un cementerio de gatos se encontraron más de 300.000 gatos momificados.

Algunos gatos pueden saltar siete veces su altura. Un humano adulto que pudiese hacer lo mismo podría subir a lo alto de un edificio de tres pisos ¡de un salto!

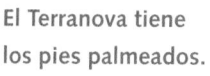

El Terranova tiene los pies palmeados.

Los gatos que tienen los ojos azules y la piel blanca suelen ser sordos. Los gatos de piel blanca pueden quemarse si permanecen mucho rato al sol.

Hay más de 500 millones de gatos domésticos en el mundo, más que cualquier otro animal de compañía. Hay 400 millones de perros.

Los gatos: unos animales sorprendentes

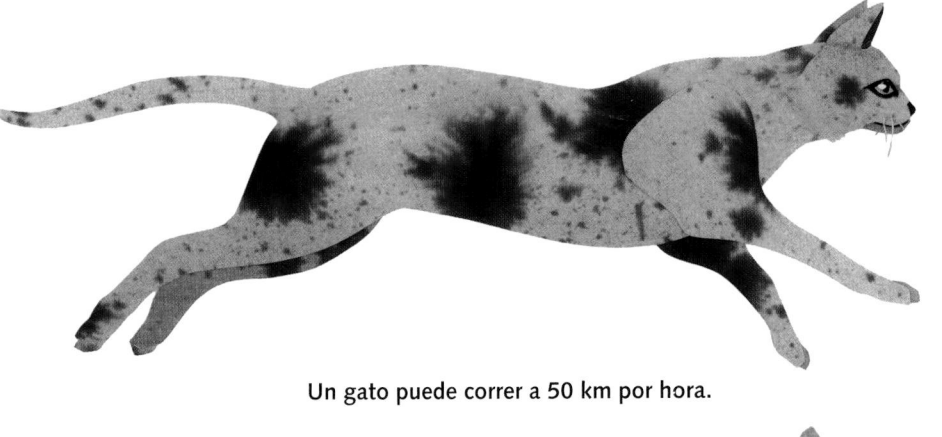

Un gato puede correr a 50 km por hora.

Los gatos no tienen clavícula, por eso pueden hacer pasar su cuerpo por agujeros muy pequeños, no mucho mayores que su cabeza.

El gato más gordo del mundo fue un macho atigrado que pesaba más de 21 kg.

El peso medio de un gato suele ser de unos 4,5 kg.

Una gata puede tener camadas de gatitos cada cuatro meses. Se sabe que una gata puede tener unos 420 gatitos a lo largo de su vida.

Los gatos pasan un tercio del tiempo que están despiertos lamiéndose el pelo con la lengua. Mucha gente que es alérgica a los gatos, realmente es alérgica a la saliva seca de su piel.

Todos los gatitos nacen con los ojos azules.

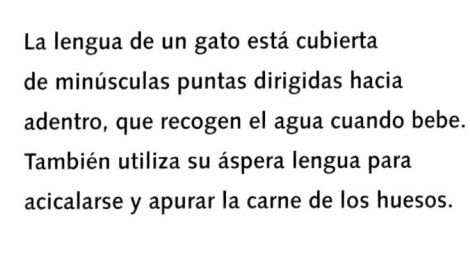

La lengua de un gato está cubierta de minúsculas puntas dirigidas hacia adentro, que recogen el agua cuando bebe. También utiliza su áspera lengua para acicalarse y apurar la carne de los huesos.

¿Los gatos siempre caen de pie?

Por favor, no lo intentéis en casa, pero cuando un gato cae o lo soltamos boca arriba, utiliza su equilibrio y su columna vertebral flexible para darse la vuelta muy rápidamente boca abajo y caer de pie. Realmente, un gato se puede hacer

¿Por qué los perros entierran huesos?

mucho daño si cae de una distancia corta porque no tiene tiempo para darse la vuelta rápidamente. Si, por ejemplo, cae desde una gran altura, como de un décimo piso, se relaja en el aire y extiende las patas para ralentizar su caída. Aunque los gatos se pueden herir o matar en una caída como esta, muchos han salido airosos de unas caídas de las que pocos animales podrían sobrevivir.

¿Por qué los gatos arañan los muebles?

No todos los gatos lo hacen. Algunos arañan árboles o se les educa para que arañen unos palos especiales para rascar. Pero a menos que se les haya sacado las uñas (algo que no se debe hacer) todos los gatos rascan. Lo hacen para sacarse la funda vieja y blanda que cubre sus uñas y así mantenerlas afiladas. Las señales que dejan al rascar indican a los otros gatos que aquel es su territorio.

¿Los gatos son más listos que los perros?

Depende de lo que entendamos por ser «listo». Los gatos sólo suelen hacer lo que quieren. Los perros han evolucionado como miembros de un grupo social y tal vez tienen más maneras de expresarse, comprenden y siguen más órdenes que un gato. Sin embargo, muchos propietarios de gatos opinan que la independencia de un gato, su sensibilidad hacia su entorno y sus impresionantes habilidades de cazador significan que es más listo que un perro.

Me gustaría saber...

Los gatos a veces actúan de una forma que para nosotros no tiene sentido. Sin embargo, muchos de estos actos son importantes para un gato que vive en estado salvaje. Nuestros gatos domésticos hacen las mismas cosas que ayudaron a sobrevivir a sus ancestros salvajes durante millones de años.

¿Por qué ronronean los gatos?

El gato es el único animal que ronronea. No estamos muy seguros de por qué hace ese ruido, esa especie de vibración suave y continua. Los gatos ronronean cuando están relajados o se sienten satisfechos, pero también ronronean cuando están asustados o heridos. Al hacer ese ruido se relajan y por eso lo utilizan como ayuda para superar una situación de estrés. Incluso puede ser que ronronear les ayude a curarse cuando se han herido.

¿Los gatos ven en la oscuridad?
Un gato ve con muy poca luz pero no en una oscuridad absoluta. Los gatos pueden ver con seis veces menos luz que la que necesita un humano. Sus pupilas –esos puntos negros en el centro de los ojos– se pueden abrir mucho para dejar entrar la luz. Además, los gatos también tienen dentro de su globo ocular un revestimiento reflectante especial que refleja la luz tenue magnificándola. El extraño resplandor que se puede ver cuando las luces de un coche brillan en los ojos de un gato por la noche es causado por este revestimiento.

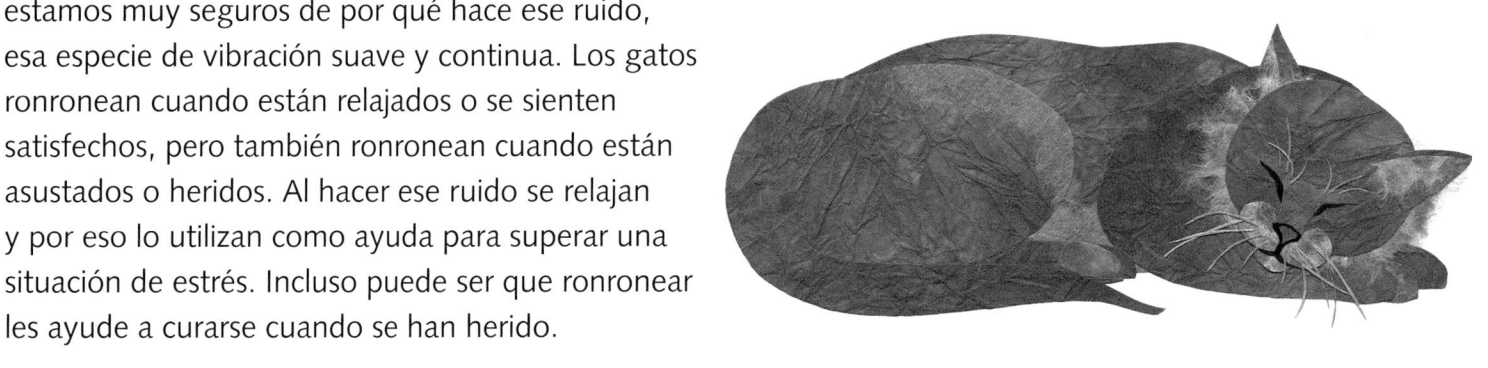

¿Por qué los gatos duermen tanto?

Los gatos duermen unas dieciséis horas al día, bastante más que la mayoría de los mamíferos (los murciélagos y los perezosos aún duermen más). ¿Por qué los gatos pasan dos tercios de su vida durmiendo? Probablemente se debe al tipo de vida que hacen cuando viven en estado salvaje. Los gatos necesitan descansar mucho para poder moverse con la velocidad y fuerza que utilizan cuando cazan. Un gato silvestre también ahuyentaría a muchas presas si estuviese despierto y moviéndose de acá para allá continuamente. Nuestros gatos caseros aún actúan en muchas formas como sus parientes salvajes.

¿Por qué los gatos se persiguen la cola?

Seguro que algún día has visto a un gato dando vueltas en círculos intentando agarrarse la cola. Parece que esté intentando cazar a otro animal, pero sabe muy bien lo que está haciendo. En estado salvaje, los gatos pasan mucho tiempo durmiendo o echados tranquilamente. Cuando se mueven, con frecuencia es como un estallido de movimiento porque cazan y saltan sobre su presa. Los gatos domésticos comen en un cuenco, pero disfrutan con este comportamiento cazador.

Los gatos tienen el oído más sensible que el de los perros. Pueden mover las orejas para ayudar a localizar la fuente del sonido y escuchar ruidos muy débiles y muy agudos, como el ruido que hacen los roedores que cazan.

Una de las características más distintas del cuerpo de un gato es que tiene la columna vertebral flexible, lo cual le permite realizar unas verdaderas proezas de equilibrio y atletismo.

Los bigotes de un gato son muy sensibles. Con ellos, el gato puede encontrar el camino en la oscuridad e incluso puede detectar la temperatura y la dirección del viento.

El pelo del gato le mantiene caliente y le ayuda a proteger su piel.

El gato utiliza la cola para mantener el equilibrio y para comunicarse con los otros gatos.

Un perro «ve» el mundo a través de su nariz.

¿Qué tiene de especial un gato?

A diferencia de los perros, que usan su resistencia para acorralar a su presa durante grandes distancias, los gatos son cazadores que están al acecho. Se acercan sigilosamente o esperan escondidos a su presa; después, usan su velocidad y fuerza para saltarle encima. Casi todo en un gato, su cuerpo, sus sentidos, sus reflejos, le ayuda a ser un cazador más eficiente y mortal.

Los gatos no ven los colores o los detalles lejanos tan bien como los humanos, pero sus ojos son muy sensibles al movimiento. También son expertos calculando la distancia de los objetos de su entorno. Los gatos ven muy bien en la penumbra.

El gato tiene un sentido del olfato excelente. Aunque no es tan bueno como el del perro, es mucho más sensible que el nuestro.

En la parte delantera de la boca, los gatos tienen cuatro dientes afilados y largos. Los utilizan para sujetar y matar a su presa, normalmente con un mordisco rápido al cuello. El resto de los dientes de un gato están diseñados para desgarrar y cortar la carne en trocitos lo bastante pequeños para poderlos tragar.

Los gatos usan sus garras para cazar y escalar. También marcan su territorio arañando con las uñas los árboles y las vallas, dejando marcas. Los gatos mantienen sus uñas afiladas como cuchillos escondidas en una funda hasta que quieren usarlas. Combinado con su poderosa musculatura de la espalda y unos reflejos rápidos como un rayo, las zarpas de un gato son unas armas temibles.

Al cabo de una semana, los gatitos abren los ojos. Cuando tienen unas cuatro semanas, empiezan a jugar con sus hermanos y hermanas y a explorar su entorno. Los gatitos juegan como si cazasen, saltando y dando golpes con las zarpas. Están practicando las habilidades que necesitarán para cazar cuando crezcan. Un gatito caza por instinto, eso significa que no se le tiene que enseñar, pero no sabe cómo matar a su presa de forma rápida y eficiente si su madre gata no le enseña cómo hacerlo. Cuando un gatito llega a los seis meses ya puede tener gatitos. Y cuando tiene un año puede decirse que es un gato adulto.

Cuando tienen unos días, la mamá gata suele trasladar a sus gatitos a una nueva casa para ponerlos a resguardo de los gatos machos o de otros depredadores. Los lleva de un lado a otro con cuidado sujetándolos por el cogote con sus dientes. El padre no la ayuda y deja que la madre gata críe ella sola los gatitos.

De gatito a gato

Un gatito nace ciego e indefenso. Depende de su madre para que lo limpie, lo alimente y lo proteja. El gatito utiliza el sentido del olfato, desarrollado ya cuando nace, para encontrar la leche de su madre. Los gatitos siempre se alimentan en la misma tetita cuando es hora de comer. Un gatito puede mamar durante un día un total de ocho horas y dormir el resto del día.

Al grupo de gatitos que nacen juntos se le llama camada. En una camada suelen nacer unos cuatro o cinco gatitos, aunque algunas pueden ser de hasta doce gatitos.

Los perritos cuando nacen también son indefensos.

Cuando un gato está contento,
levanta la cola bien erguida.

Cuando un gato se frota contra las piernas de una
persona, no significa solamente que quiera ser
amistoso. Está utilizando un olor especial de una
glándula que tiene en la cabeza para dejar un mensaje
a los demás gatos que dice: «Esta persona es mía».

Una cola que se mueve
nerviosamente es un aviso de
que es mejor que dejéis en
paz a este gato.

Si un gato ronronea, con las orejas vueltas
hacia delante y los ojos entrecerrados significa
que se siente satisfecho y seguro.

Una cola baja pegada
al cuerpo del gato es señal
de inseguridad.

Sé lo que quiero

La mayoría de gatos cazan solos. Esta puede ser una de las razones por las que la gente piensa a menudo que los gatos son independientes y distantes. De hecho, los gatos pueden ser muy sociables. Suelen disfrutar de la compañía de los humanos y de los demás gatos.

Los gatos también tienen unas opiniones muy firmes acerca de lo que les gusta y lo que les disgusta. Pueden ser muy selectivos sobre el lugar donde duermen, lo que comen y si quieren ser acariciados o alzados en brazos. Los gatos nos comunican sus sentimientos con su cara, el lenguaje corporal, su voz y su olor.

Salvo los leones, los felinos salvajes no viven en grupos, así que, a diferencia de los perros no les es preciso demasiadas maneras de decir: «Quiero estar solo». Muchos de los mensajes de los gatos significan: «Mantén las distancias». Un gato que se siente amenazado puede arquear la espalda, ahuecar su piel y resoplar. Esto hace que parezca más grande y más peligroso.

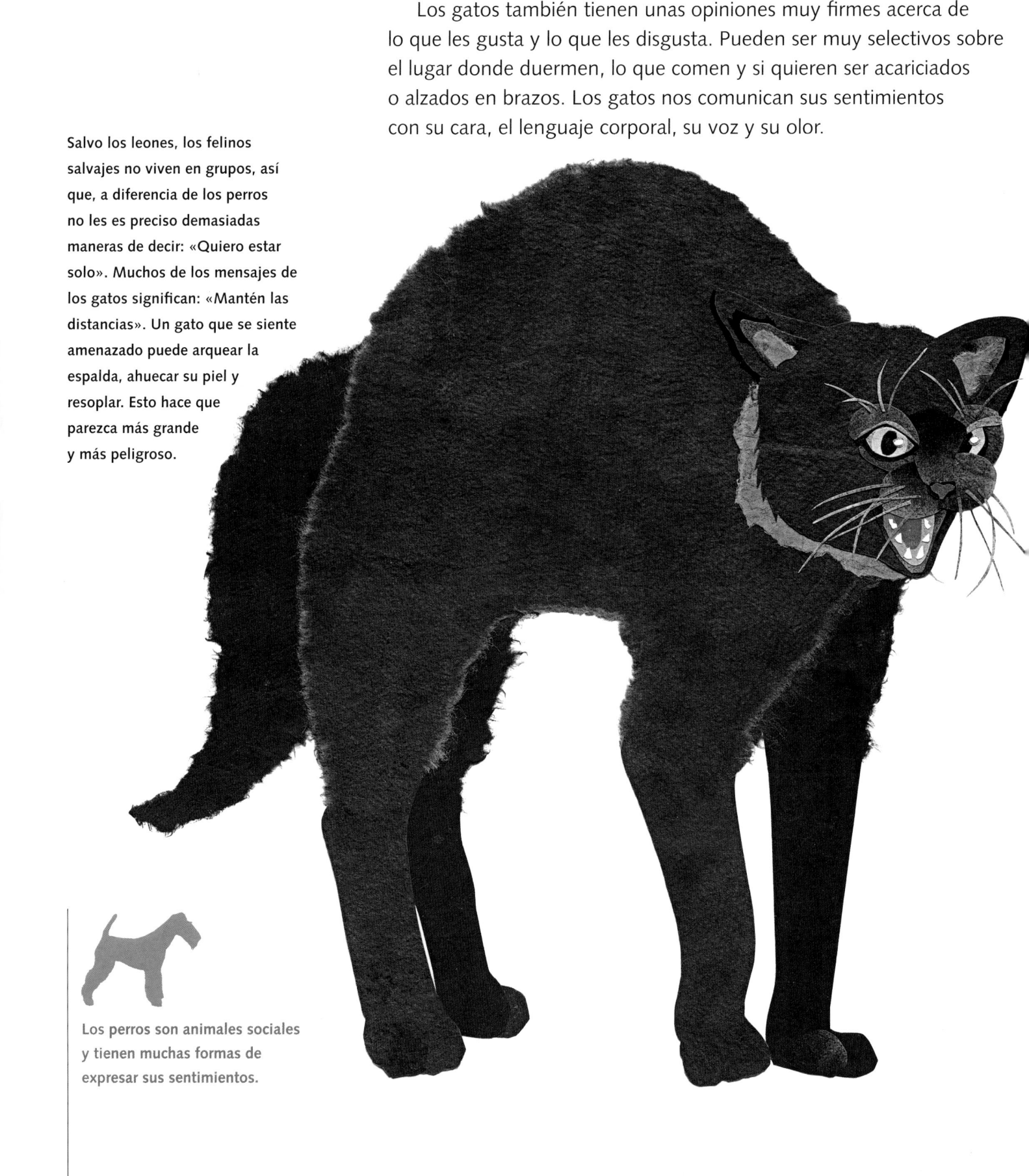

Los perros son animales sociales y tienen muchas formas de expresar sus sentimientos.

Te atraparé, ratón

Los gatos son unos cazadores silenciosos y furtivos y durante la mayor parte de la historia de la humanidad los felinos han evitado a los humanos, excepto tal vez cuando un león o un tigre dientes de sable consideraba que uno de nuestros desafortunados ancestros era una presa apetecible.

Durante miles de años, los humanos vivieron trasladándose de un lugar a otro, cazando y recogiendo comida. Más tarde, hace unos 10.000 años, la gente que poblaba África y Oriente Medio empezó a vivir en poblados y aldeas. Plantaban cosechas y almacenaban el grano que recogían. Pronto, el grano almacenado atrajo a ratones y ratas que se comían gran parte del grano que para ellos era tan valioso. Estos roedores, a su vez, atrajeron al gato salvaje africano, un cazador sigiloso e inteligente que no temía vivir cerca de los humanos.

Las personas descubrieron que cuando había gatos cerca había menos plagas de roedores comiéndose el grano de sus almacenes. Al principio dejaron que los gatos salvajes vivieran y cazasen por los alrededores de sus casas. Después, algunas personas empezaron a criar gatos, seguramente sacando a los gatitos de sus cuevas y cuidando de ellos. Preferían a los gatos pequeños, afectuosos y buenos cazadores de ratones. Hace unos 4.000 años, los gatos vivían en las casas y los graneros: ya se habían convertido en animales domesticados.

Hoy día, hay treinta y seis especies distintas de gatos, divididas en dos grupos principales: grandes felinos y pequeños felinos.

Los grandes felinos incluyen: el león, el tigre, el jaguar y el leopardo, que veis aquí arriba. Los grandes felinos rugen, pero los pequeños no pueden.

El lince que veis aquí, así como el gato doméstico, el ocelote, el gato pescador y muchas otras especies de gatos salvajes son pequeños felinos. El puma, que no ruge, también es un pequeño felino, aunque puede ser más grande que un leopardo.

El gato salvaje

Nuestros gatos domésticos están directamente relacionados con el gato salvaje africano. Este feroz cazador solitario vive en los desiertos del norte de África. Es un poco más grande que un gato doméstico y caza de noche, alimentándose de mamíferos pequeños, aves y reptiles.

Como los perros y muchos otros depredadores, los gatos son territoriales y por ello defienden su territorio de caza. El territorio de un tigre puede cubrir centenares de kilómetros cuadrados, mientras que un gato doméstico puede limitarse a defender solamente el patio de su propietario.

Los primeros animales parecidos a los felinos aparecieron hará unos 30 millones de años. Eran del tamaño de un gato doméstico de hoy día.

Excepto por su tamaño, todos los miembros de la familia felina se parecen mucho: un gato doméstico se parece y en muchos casos actúa como un león, un tigre o un leopardo. Eso es porque han evolucionado para ser casi como unas máquinas perfectas de cazar.

Una raza que se ha desarrollado recientemente es la esfinge, que parece que no tenga pelo. En realidad, sí que tiene pero es muy corto y fino. Este gato suele vivir en las casas porque su piel no conserva el calor. Estas características tan poco usuales se denominan mutaciones. De vez en cuando, se dan en gatos silvestres, pero las mutaciones de este tipo no ayudan a la supervivencia del animal. Un gato casi sin pelo, en un entorno silvestre, lo más seguro es que muriese antes de tener tiempo para tener gatitos y transmitir su mutación.

De África

El abisinio es una de las razas más antiguas de gatos. Proviene del norte de África y se parece mucho a los gatos de las pinturas que se han encontrado en las antiguas tumbas egipcias. Los abisinios tienen el pelo corto y las patas largas. Hoy día aún son muy populares. Originariamente, la gente tenía estos gatos para controlar las plagas de ratas y ratones. Los gatos eran muy valiosos en el antiguo Egipto, incluso algunos eran adorados como dioses. El hecho de matar a un gato se castigaba con la muerte, y sacar a un gato del país estaba prohibido. Pero, finalmente, los marineros empezaron a llevar gatos en sus barcos y, de este modo, se extendieron desde África a Asia y después a Europa. Las personas de otras partes del mundo tenían los gatos dentro de sus casas y, de esta forma, se empezaron a desarrollar razas distintas.

El saluki o lebrel persa es una de las razas de perros más antiguas.

Burmés

Los perros son los mamíferos
que presentan tamaños
y formas más distintos.

Siamés

Persa

Rex de Devon

Millones de gatos

Todos los gatos, grandes y pequeños, son cazadores naturales. Los gatos salvajes tienen que cazar para sobrevivir y, ciertamente, lo hacen muy bien. De hecho, los humanos empezaron a tener gatos porque estos animales son expertos exterminadores de ratas, ratones y serpientes. Aquellos gatos trabajadores tenían el pelo corto para que no se les enredase o se les enganchase en los espacios estrechos. Más tarde, cuando las personas empezaron a tener gatitos para que les hicieran compañía, aparecieron los gatos de pelo largo y espléndido.

Durante los últimos cien años, más o menos, se han criado gatos para que tuviesen unas características poco comunes. Algunos tienen las orejas de formas extrañas, otros no tienen cola, o su pelo es de colores poco comunes. Actualmente, hay más de cuarenta tipos distintos o razas de gatos domésticos.

Todos los gatos domésticos pertenecen a la misma especie, por lo tanto, los gatos y las gatas de cualquier raza se pueden aparear y tener gatitos. Además, más o menos, todos son de la misma medida. ¿Y por qué no hay ningún gato realmente grande, como algunas razas de perros? Una razón puede ser que los gatos tienen un fuerte instinto cazador y podría ser peligroso para los humanos vivir con gatos del tamaño de perros grandes.

Atigrado

Fold escocés

El gato sabe muy bien lo que quiere

A veces, cuesta comprender a los gatos. Son amistosos y cariñosos un momento, y luego, sin más, se vuelven distantes y misteriosos. Los gatos son los animales domésticos más populares del mundo. También son unos depredadores casi perfectos, porque son silenciosos, rápidos y tienen unos sentidos difíciles de igualar por los otros animales. ¿Por qué razón estos independientes y feroces cazadores se han convertido en nuestros compañeros? ¿Por qué actúan como lo hacen?

Si prefieres leer acerca de los perros, da la vuelta al libro.

Para Jamie, Theo y Jeff

Título original: DOGS AND CATS

© Texto e ilustraciones: Steve Jenkins, 2007

© Publicado con el acuerdo de Houghton Mifflin
   Company, Nueva York, EEUU

© EDITORIAL JUVENTUD, S. A., 2008

Provença, 101 - 08029 Barcelona

info@editorialjuventud.es - www.editorialjuventud.es

Traducción castellana: Raquel Solà

Primera edición, 2008

Depósito legal: B. 9.846-2008

ISBN 978-84-261-3669-5

Núm. de edición de E. J.: 11.076

Printed in Spain

Gràfiques A.V.C., Avda. Generalitat, 39 (Barcelona)

PERROS Y GATOS

STEVE JENKINS

Editorial Juventud